개가 나비를 만나요.

나비는 날 수 있어요.

나비는 날개가 있어요.

나비가 높이 날아요.

나비가 나무에 앉아요.

나무 위에 누가 있어요.

이 책은 _____ 의 것입니다.

나비

ⓒ 김미혜, 차선희, 2025

2025년 11월 3일 처음 펴냄

글쓴이 김미혜 | **그린이** 차선희 | **편집** 이진주 | **디자인** 더디앤씨 | **인쇄** 보명C&I | **제작** 세종PNP
펴낸이 김기언 | **펴낸곳** 교육공동체 벗 | **이사장** 오정오 | **사무국** 최승훈, 설원민, 공현
출판등록 제2011-000022호(2011년 1월 14일) | **주소** (03998) 서울시 마포구 월드컵북로7길 76-12 102호
전화 02-332-0712 | **전송** 0505-115-0712 | **홈페이지** communebut.com

ISBN 978-89-207-2 67700
ISBN 978-89-195-2(세트)

나비	BFL	1
	어절 수	20

값 2,300원

사용 연령
6세 이상

ISBN 978-89-6880-207-2
ISBN 978-89-6880-195-2 (세트)